유독한 시간

유독한 시간

유독한 시간

글과 음악, 냄새는 신기합니다
닿기만 해도 그 시절의 감정이 떠오르는 묘한 힘이 있죠
우리는 잊지 않기 위해 쓰고, 듣고, 맡습니다
이 모든 것을 마음속에 일기장처럼 차곡차곡 각인한 채 하루를 살아가죠

매 리 (사 애 리)

한국외국어대학교
- 중국언어문화전공 | 문화콘텐츠학

어려서부터 글 쓰는 걸 좋아했던 글쟁이 매리!
나의 문장을 담은 책을 출간하고 싶다는
20대의 오-랜 거대 버킷리스트 드디어 성공.

나는 매리, 이제는 작가!

목차

안녕하세요 작가 매리입니다

이 책은 수년간의 짧은 글들을 모아 만든 책입니다. 그 오랜 시간을 몇 마디 문장으로 소개하기엔 하고 싶은 말이 많네요. 머리말을 오래 고민했다는 작가들의 책을 읽으며, 이들이 가진 고민은 어디서 비롯되는 걸까 궁금해했던 순간이 문득 생각나는군요. 책을 내고 싶다는 생각은, 꽤 오래전부터 마음속에 잔잔히 꽃피우던 작은 꿈이었습니다. 그때도 독립출판을 꿈꿨습니다. 그러나 '이름 없는 작가'로 몰래 책을 쓰려고 했죠. 우연히 책장에서 누군가 저의 책을 마주하게 되어 제게 무엇이냐 물어본다면, 우연히 선물 받은 책이라고 얘기할 준비도 되어 있었죠. 그러나, 좋은 기회로 큰 용기를 안고 제 이름으로 내게 된 책입니다. 이제는 모두 저의 문장이라고 당당히 얘기할 수 있게 되었네요.

제게 있어 사랑과 그리움의 대상은 모든 순간에 있었습니다. 봄바람에 날려오는 작은 꽃잎도, 선선한 바람도 모두 글의 뮤즈가 되었습니다. 감정은 때론 가장 가까운 사람들에서 비롯되기도 하였고, 대상 없는 막연한 그리움이기도 하였습니다. 제가 스쳐간 모든 사람이 연관이 없다고는 할 수 없지만, 또 모두 그런 것은 아니었죠. 그저 그 일련의 과정 속에서 느꼈던 감정들을 '사랑의 언어'로 치환한 것뿐입니다. 혹여 오해하지 않았으면 좋겠습니다. 시작하기 전, 한마디만 더 하자면 - 문장은 문장으로만 읽어주세요.

감정을 드러내는 일은 언제나 쉽지 않습니다. 부끄러운 문장도 분명 많았습니다. 혹여 누군가는
문장에 비춘 우울을 걱정할 수도 있겠습니다. 그러나 제가 말하고 싶은 것은, 이 또한 제 모습이니까요.
이제 저는 행복도, 우울도 따스히 사랑할 수 있는 사람이 되려고 합니다.

2023년 7월, 사애리.

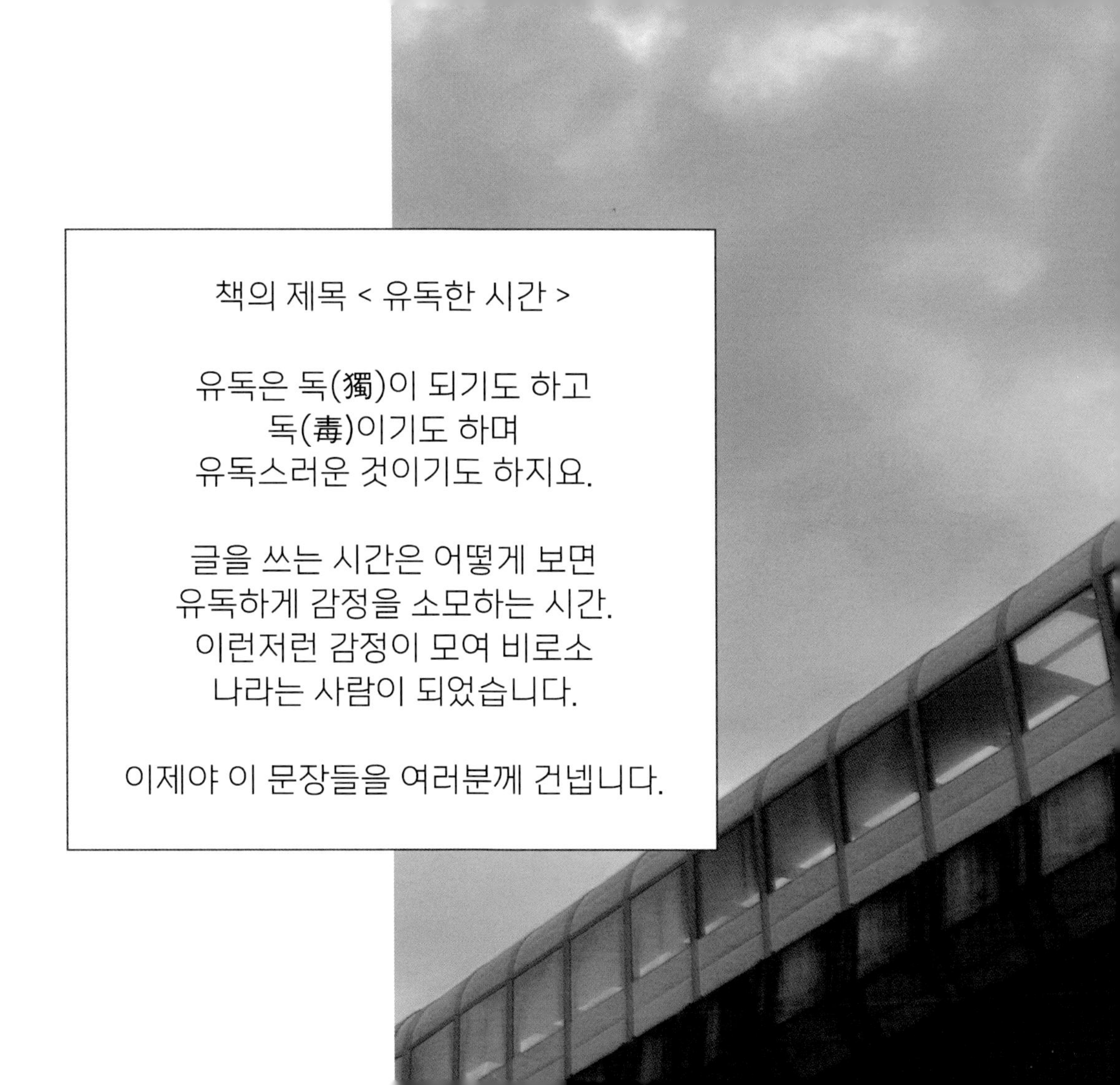

책의 제목 < 유독한 시간 >

유독은 독(獨)이 되기도 하고
독(毒)이기도 하며
유독스러운 것이기도 하지요.

글을 쓰는 시간은 어떻게 보면
유독하게 감정을 소모하는 시간.
이런저런 감정이 모여 비로소
나라는 사람이 되었습니다.

이제야 이 문장들을 여러분께 건넵니다.

● ● ● ●

사랑은 어쩔 수 없는 거잖아요?

그래서 늘 우리는 어쩔 수 없이 무너지나요

1. 다정의 온도

누군가 내게 줬던 다정은 나의 다정이 돼
다정은 다른 사람을 마주할 수 있는
강한 용기가 되기도 하고
때론 문득 떠오르는 아픔이 되기도 해

그렇다면 당신이 내게 알려준
다정의 온도는 몇 도일까?

너 잘 지내? 나는 그저 그래.

나도 마찬가지야.

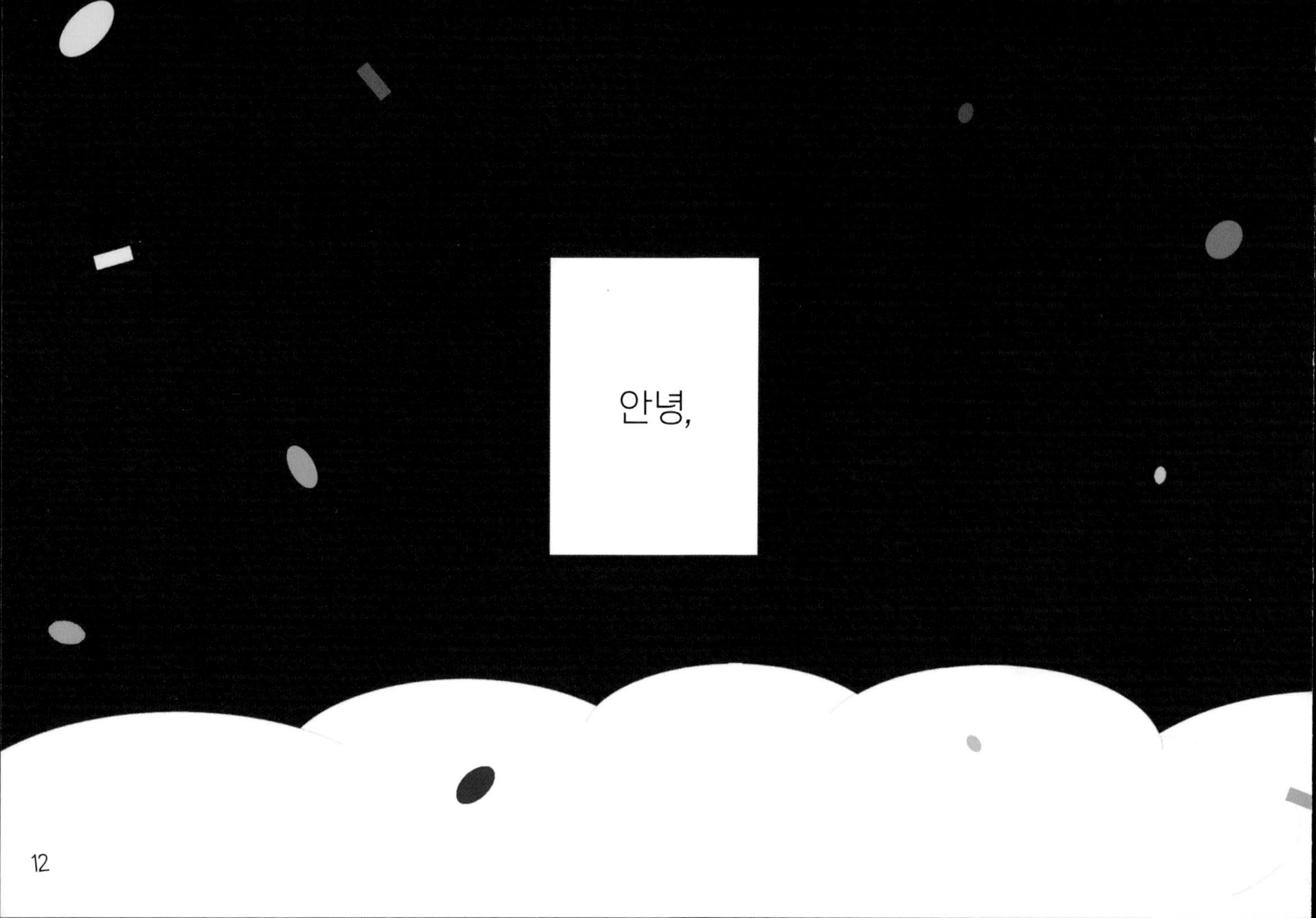

안녕,

실은 요즘 네 생각을 자주 해

나는 꽤나 무뚝뚝한 사람이야
그런데도 너는 늘 내가 다정하다고 했어

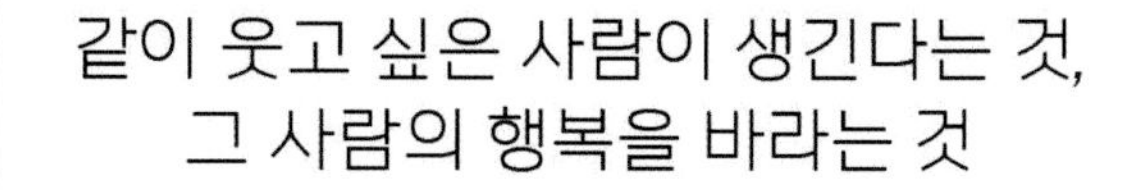

이런 게 다정이라면

내 다정은 네가 만들어준 거야

그래서 너로 인해 나는 이토록
불안정한 다정을 가지고 있는 것일까

새벽만 되면 이상하게 슬퍼져
대상조차 남지 않은 사랑 플레이 리스트를
작게 틀어 두곤 청승맞게 눈물 훔치지

그렇다면 나는 엄청 큰 걸
놓친 것만 같아 미안해

속은 쓰리고 혼자 남은 나는
나지막이 너를 떠올려

가끔 그런 생각을 해
네가 자주 듣던 사랑 노래엔
내 생각도 포함되어 있었을까?

그냥 문득 지나간 그 순간의 우리가
되게 예뻤구나- 싶은 거

그게 다야

같은 하늘을 보고 있다는 것만으로도
행복하던 그때 기억나?

그 순수한 마음을 우리가
오래 간직했더라면 참 좋았을 텐데

사실 내가 좋아하는 순간들은
그렇게 거창한 게 아냐

나는 불어오는 바람이 좋고 재잘재잘 새소리가 좋아
당신이 내 손에 올려준 자그마한 앵두가
사랑스럽고 나를 보며 웃어주는 그 미소가 좋아

이런 자그마한 모든 순간이 나를 행복하게 만들어

계절의 냄새는 기억을 떠오르게 해

뭣 모르던 시절에는 나도
누군가에게 특정 계절이 되면
생각나는 사람이 되고 싶었는데

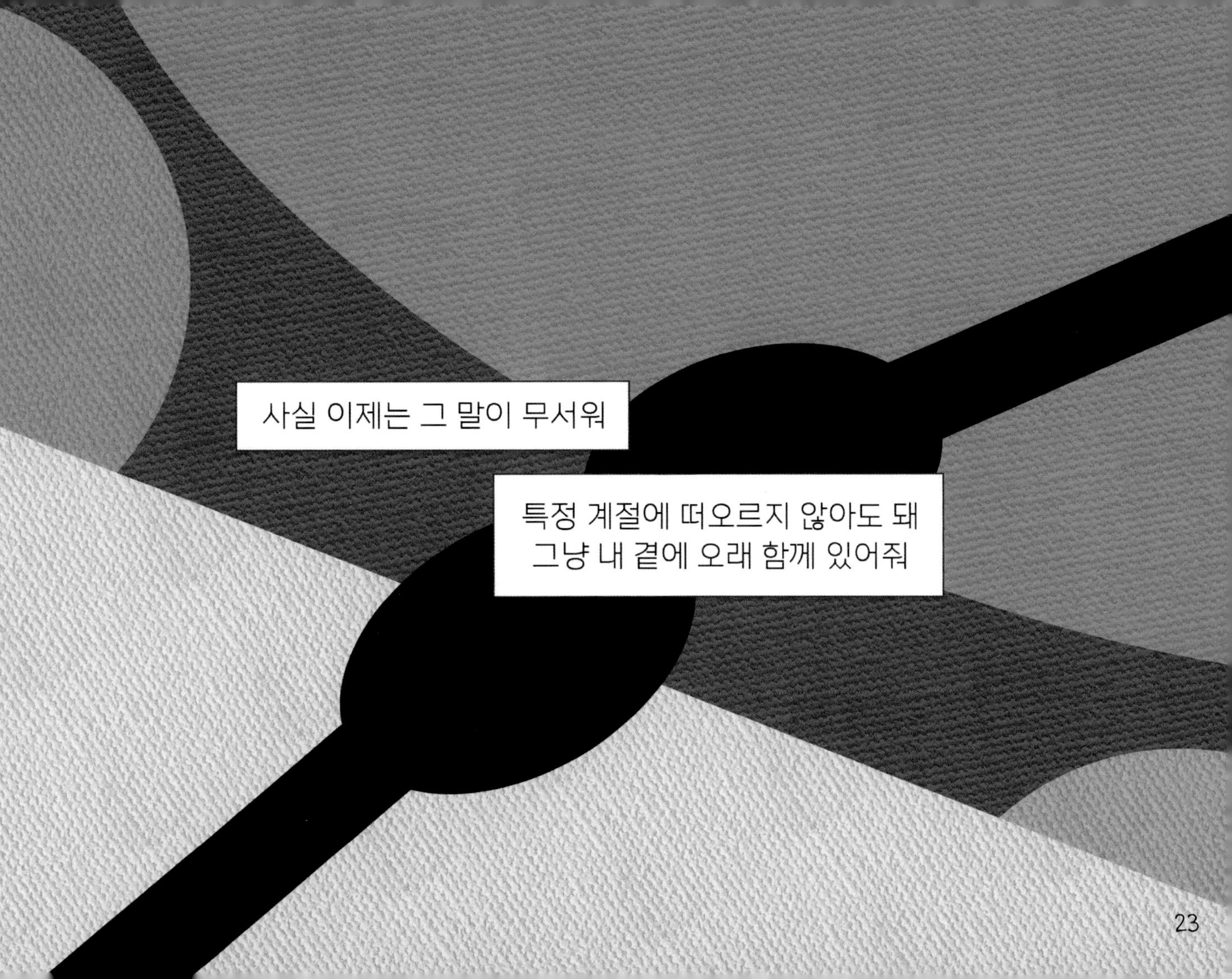
사실 이제는 그 말이 무서워
특정 계절에 떠오르지 않아도 돼
그냥 내 곁에 오래 함께 있어줘

누군가 내게 줬던 다정은 나의 다정이 돼

다정은 만만한 녀석이 아니라서 끊임없이 나를 아프게 하기도 하고
때론 다른 사람을 마주할 수 있는 용기가 되기도 해

그렇다면 당신이 내게 알려준
다정의 온도는 몇 도일까?

다정은 네 향수 냄새처럼
자연스럽게 나에게 스며들어
짐짓 괜찮은가 싶다가도
문득 떠오르는 익숙한 향에
뒤돌아 너를 떠올리게 돼

큰일이야 어쩌겠어

잊을 수 없으니 사랑하는 수밖에

2. 사랑을 묻다

사랑을 묻은 자리에는
또 새로운 사랑이 필 거야
단단해진 마음에는
더 예쁜 사랑이 필 거야

사랑을 묻다, 사랑을 묻다.

떠나간 사람을 기다리는 것은
언제나 남겨진 사람의 몫.
그러니 물을게.

이젠 내 이유가 되어주지 않을래?

며칠 전만 해도 분명
묵직한 여름밤공기였는데
오늘은 또 견딜만한 새벽입니다

날이 선선해지는 걸 보며
또 한 번의 여름이
지나는 것을 실감합니다

지나는 여름 바람에 괜히
전하지도 못할 마음을 실어 보냅니다
누구보다도 답은 잘 알고 있지요

받지 못한 회신에 담길 내용은
쓸쓸한 가을의 예고장이겠지요

문득 어디론가 떠나고 싶을 때가 있어
말 그대로 훌쩍 '어디론가'

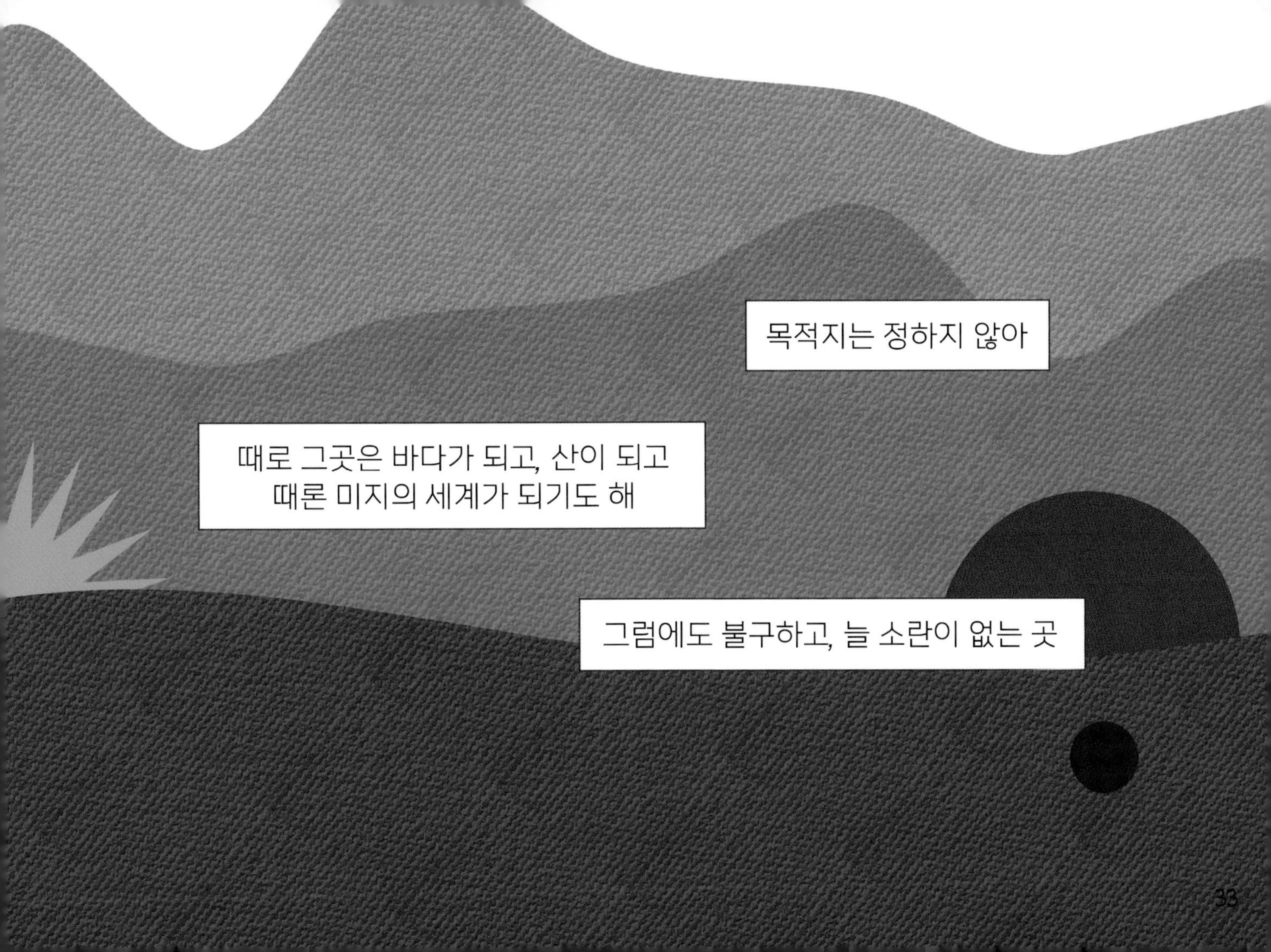

목적지는 정하지 않아

때로 그곳은 바다가 되고, 산이 되고
때론 미지의 세계가 되기도 해

그럼에도 불구하고, 늘 소란이 없는 곳

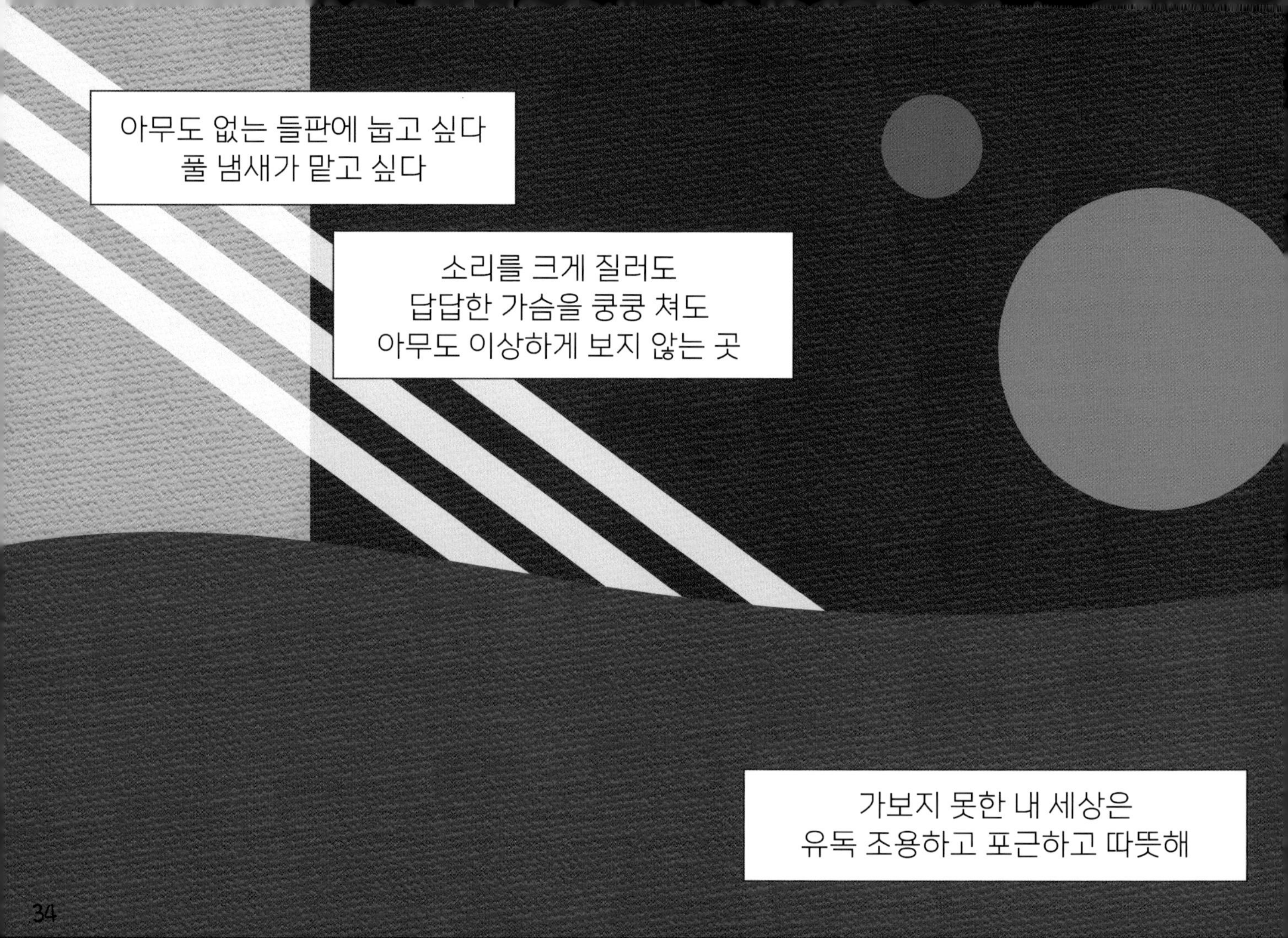

아무도 없는 들판에 눕고 싶다
풀 냄새가 맡고 싶다

소리를 크게 질러도
답답한 가슴을 쿵쿵 쳐도
아무도 이상하게 보지 않는 곳

가보지 못한 내 세상은
유독 조용하고 포근하고 따뜻해

그곳으로 그곳으로

솔직한 속마음을 쓴다면서
사실은 누가 볼까 무서웠고
자기 최면하듯 행복을 외쳤고
고르고 고른 문장들이지

몰라 적어도 빈 공간에서는
행복한 척 하고 싶었나

내가 노력해야만 지속될 것 같은
묘한 불안감과 문득 휘몰아치는 위화감

나 혼자 더 좋아하고 있는 건 아닐까
마음의 무게가 다를 수도 있다는
두려움은 자꾸만 나를 작아지게 만들어

내가 슬픈 건 우리가
다시 돌아갈 수 없다는 걸
누구보다 잘 알기 때문이야

모두 시간의 탓이라 하자
유난히 두터워진
시간의 벽의 무게야

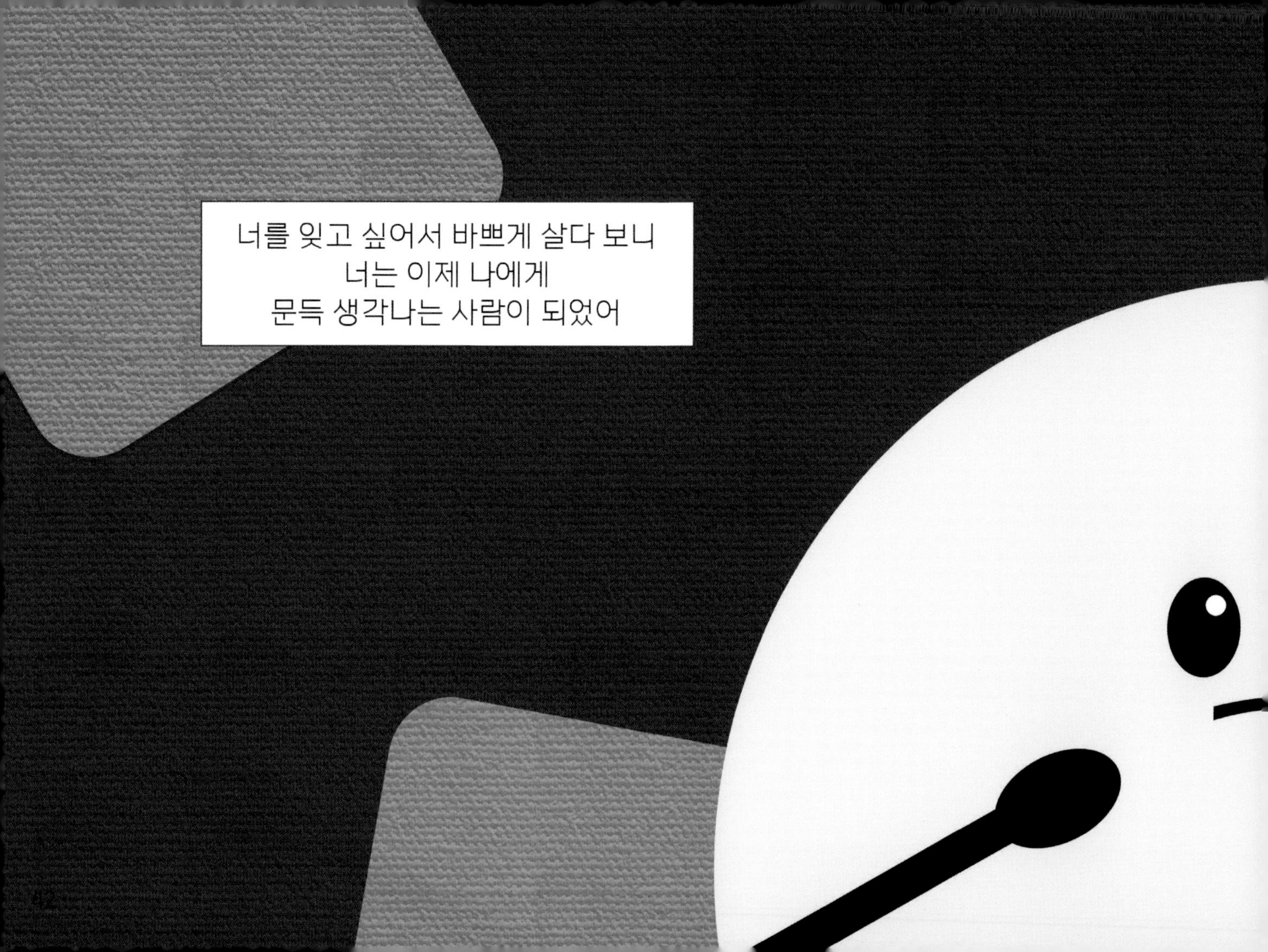

너를 잊고 싶어서 바쁘게 살다 보니
너는 이제 나에게
문득 생각나는 사람이 되었어

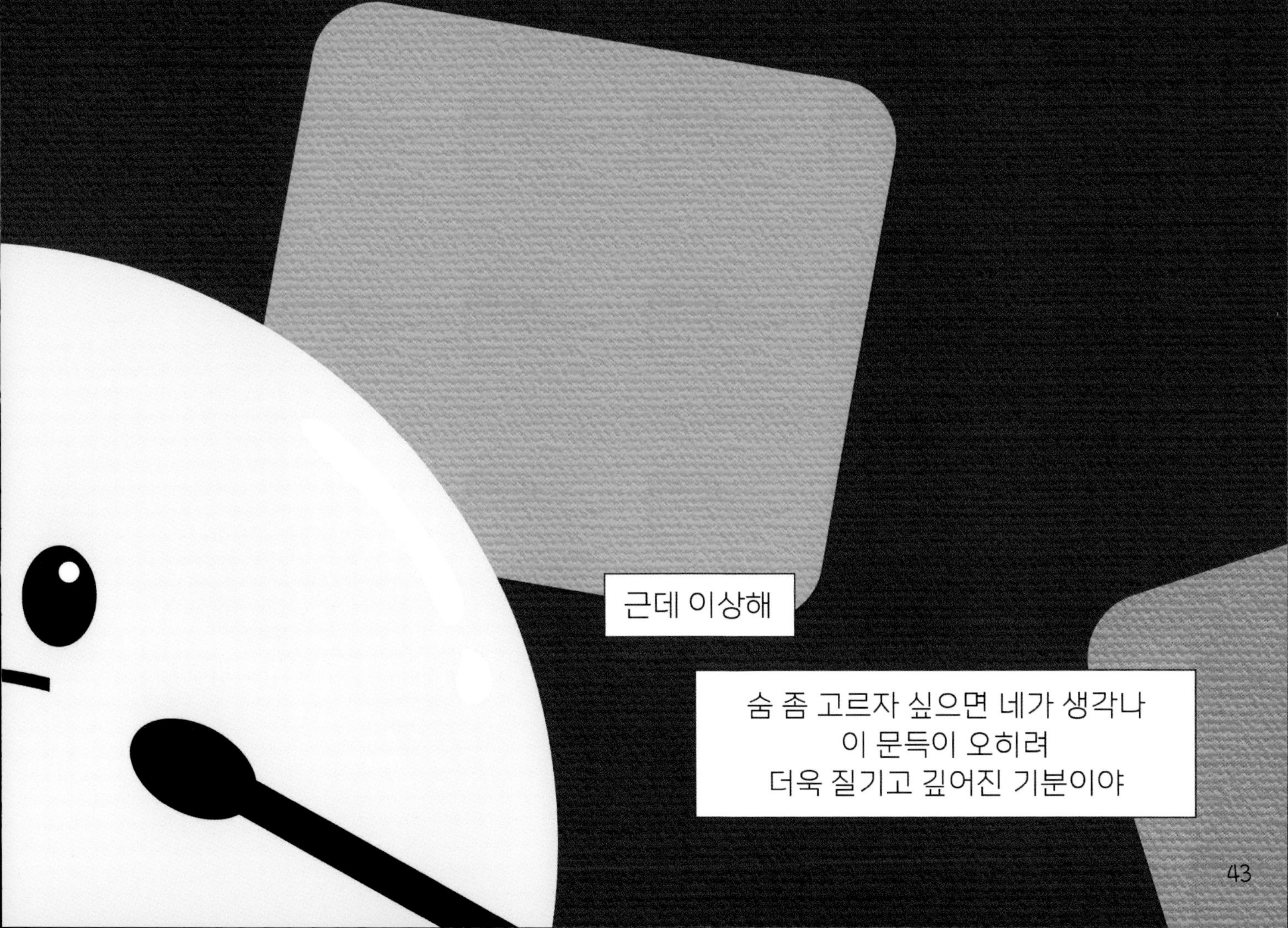
근데 이상해
숨 좀 고르자 싶으면 네가 생각나
이 문득이 오히려
더욱 질기고 깊어진 기분이야

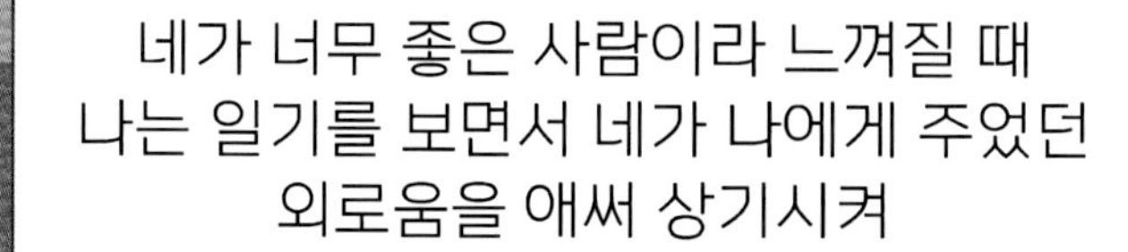
네가 너무 좋은 사람이라 느껴질 때
나는 일기를 보면서 네가 나에게 주었던
외로움을 애써 상기시켜

다시 돌아간대도 같은 결말이란 걸 알아

그럼에도 우리가 했던 것이
실은 사랑이었다고
네가 지금이라도 알았으면 좋겠어

온 마음을 당신에게 전하고 우리는 그렇게 자라나
텅 빈 줄 알았던 마음을 더 큰 사랑으로 채워

사랑을 묻은 자리에는 또 새로운 사랑이 필 거야
단단해진 마음에는 더 예쁜 사랑이 필 거야

무뎌진다는 것은 마음 깊이 묻어진다는 것
더 이상 당신을 떠올릴 때 울지 않는 것
사랑을 묻다 사랑을 묻다

3. 사랑의 언어

자꾸만 예쁘다 예쁘다 해주니까
나도 예쁜 사람이 된 것 같잖아

마음이 몽글몽글, 내가 하는 모든 말들은
모두 당신에게 전해주고 싶은 말들

보고 싶다는 함축된 단어 속
몰래 담은 내 님 향한 속마음
그러니까 당신에게 주고픈 사랑의 언어야

나에게 네 시간을 조금만 나눠줘.
그럼 나는 그 시간들을
가장 아름답게 만들어줄게.

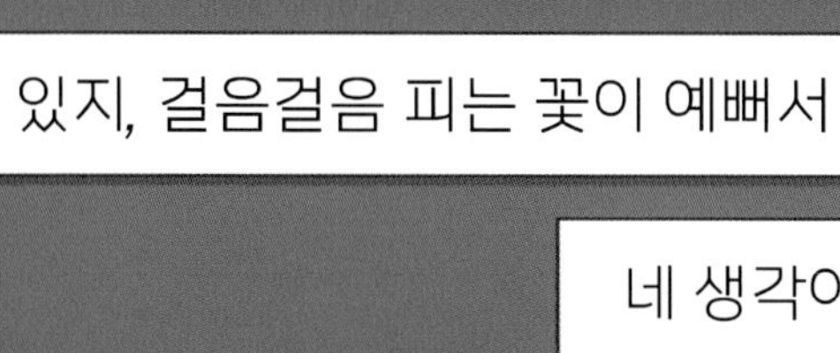

있지, 걸음걸음 피는 꽃이 예뻐서

네 생각이 났어

네가 좋아했으면 좋겠다는 마음으로
떨어진 꽃들 중에 가장 예쁜 꽃을 잔뜩 모아

예쁜 꽃들을 가득 안은 채
나는 사랑하려고 당신을 기다리고 있어

어쩐지 요즘은 마음이 둥실둥실 묘해
평소와 같은 내 마음인데
오늘따라 예뻐 보여 구름 같아

둥실, 어디든 날아갈 수 있을 것만 같아

넌 나한테 그런 존재야
너와 함께 있으면
나는 살아있다는 걸 느껴

너는 잘 모르겠지만
내가 보는 너는
무척이나 반짝이는 사람

너를 사랑하게 된 후로 색채 없던
내 하루는 꽤나 다채로워졌어
너는 내가 더 좋은 사람이 되고 싶게 해

얼른 보고 싶다 밤이 유독 길어

하루 종일 속이 쓰린 날이 있었어

아무리 생각해 봐도 이유를 모르겠는 거야. 그래서 그냥 마음이 가는 대로 했어. 책상에 얼굴을 묻고 있기도 하고, 기쁜 노래를 들으며 울기도 했어. 그런데도 이유를 모르겠더라. 불치병일까 싶은 마당에 읽히지도 않는 단어책을 잡고 펜을 휘젓고 있었는데, 문득 보니 단어장 모퉁이에 네 이름을 적고 있던 거야. 주변에 아무도 없는데도 불구하고 너무 창피해서 책을 덮어버렸어. 웃기지. 볼이 붉어진 채로 생각했어. 마음 가는 대로, 말 그대로 나는 온통 너였어.

하루 종일 너였던 거야

I Love You ♥

억지로 섞지 않아도
자연스럽게 섞이는 물감처럼
우리 그렇게 사랑하자

너는 너의 색으로 나는 나의 색으로
서로의 팔레트를 어여쁘게 채워보자

한번 인정하니까
걷잡을 수 없이 마음이 커져
하루 종일 네 생각뿐이야

실컷 솔직해지자 다짐해 봐도
네 문자 하나에 쪼르르 달려가
문장을 다듬고 또 다듬어

연정이 고스란히 묻어나는 이 문장들은
절대 네게 내비칠 수 없어

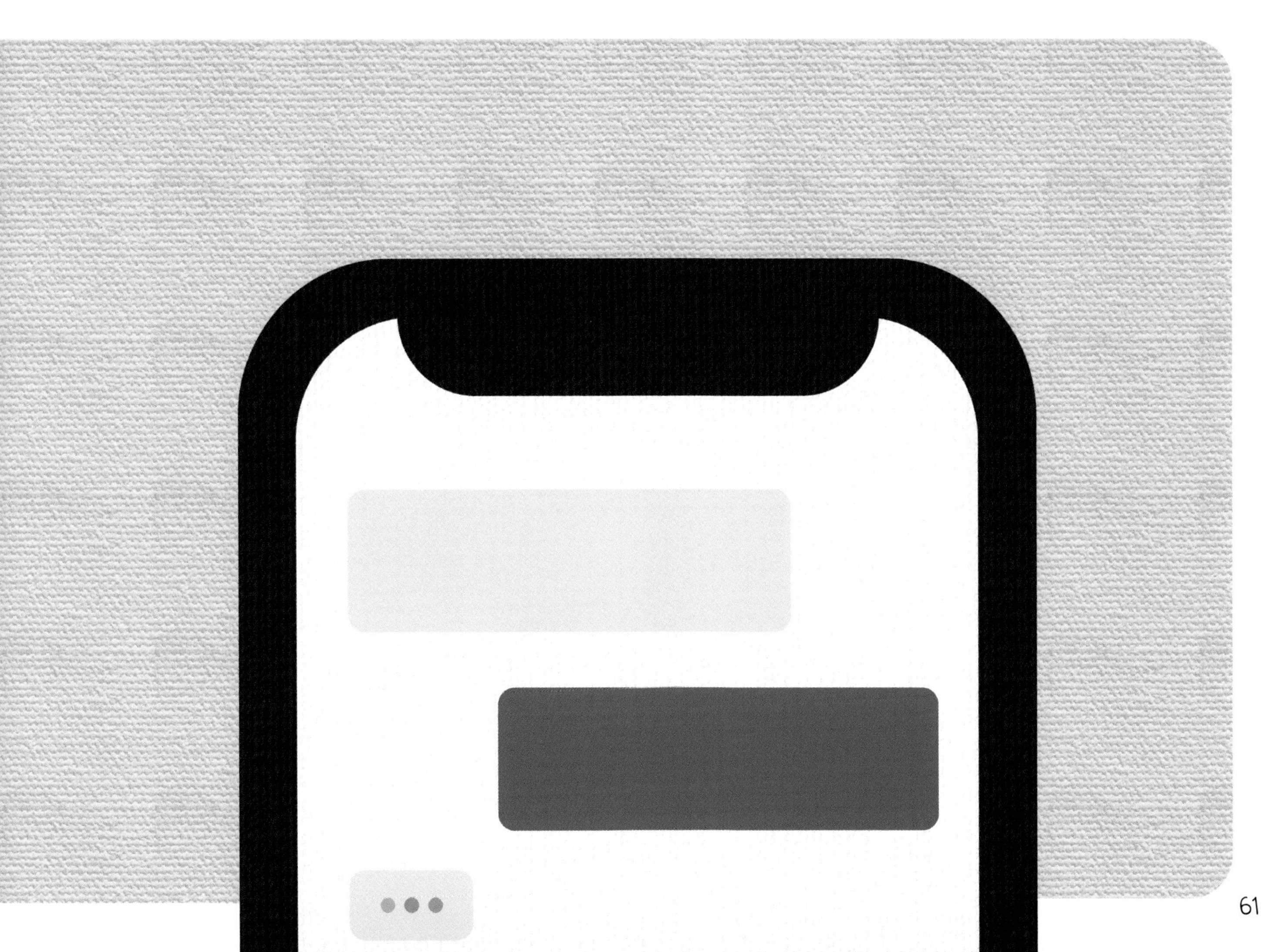

싱그러운 여름이 밝게 빛나는
네 웃음과 참 잘 어울린다고 생각했었지

너와 함께 웃을 수 있다면
애써 지켜왔던 모든 걸 내치고
보잘것없는 마음 하나만 있어도
괜찮지 않을까 기대했었지

내가 너에게 주고 싶었던 것은
사랑이었나 마음이었나
보고 싶단 그 맘 가득 눌러 담았지

사랑해 사랑해 네가 아는 것보다 더

4. 철 없는 놈

무거웠던 하루조차 기억 저편으로 금세
웃음 지으며 훌훌 털어낼 수 있던
바람에도 설레이던 그런 시절
철이 없다는 이유만으로 용인되는 순간들

그렇지만 사실 그때도 지금도
너는 나한테 늘 어려운 사람이야

널 그리워하는 게
버릇이 되어버렸는지
보고 싶은 건 여전해.

그러니까 여기 남고 싶은
이유가 되어 달라는 말이야.

편의점에 들러 아이스크림을
하나 입에 물고 오면서
하늘을 올려다봤는데 너무 예쁜 거야

비 오는 날 우산을 내려둔 채
얇은 반팔만 입고 달렸어

머리 위로 비가 톡톡
발아래 물웅덩이를 밟아서
온몸이 엉망이어도 좋았지

평소라면 절대 하지 않았을
사소하고도 소소한 일탈
모르겠어 그냥 달리고 싶었나

나는 이 슬픈 눈을 안고
세상을 바라보고 있었나

어느 날 문득
거울을 봤는데
두 눈이 슬프더라

어쩐지
운이 안 좋더라

나를 탓하며
모든 이유를
나에게서 찾았지

그게 버릇이 되었지

처음에는 애써 이 답답함을 무시하며
잠으로 도피하는 방법을 택하곤 했는데
언제부턴가 나의 하루가 무의미하게까지 느껴졌다

변덕이 아닌 지금까지의 누적
나는 내가 부끄러워
나조차 사랑할 수 없는 모습이 괴로웠다

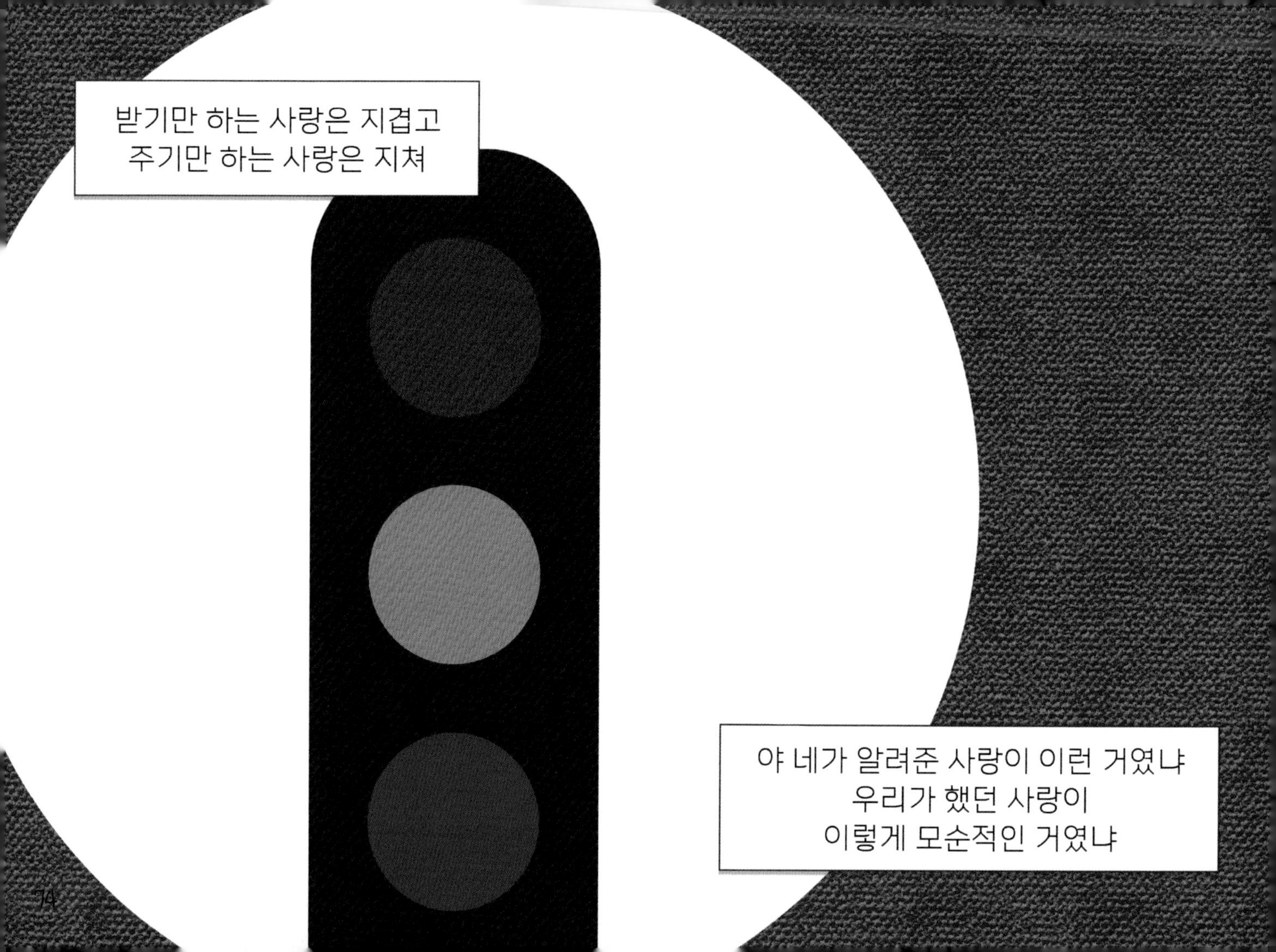
받기만 하는 사랑은 지겹고
주기만 하는 사랑은 지쳐
야 네가 알려준 사랑이 이런 거였냐
우리가 했던 사랑이
이렇게 모순적인 거였냐

마음의 속도가 비슷하길
바라는 게 이렇게 어려운 거였나

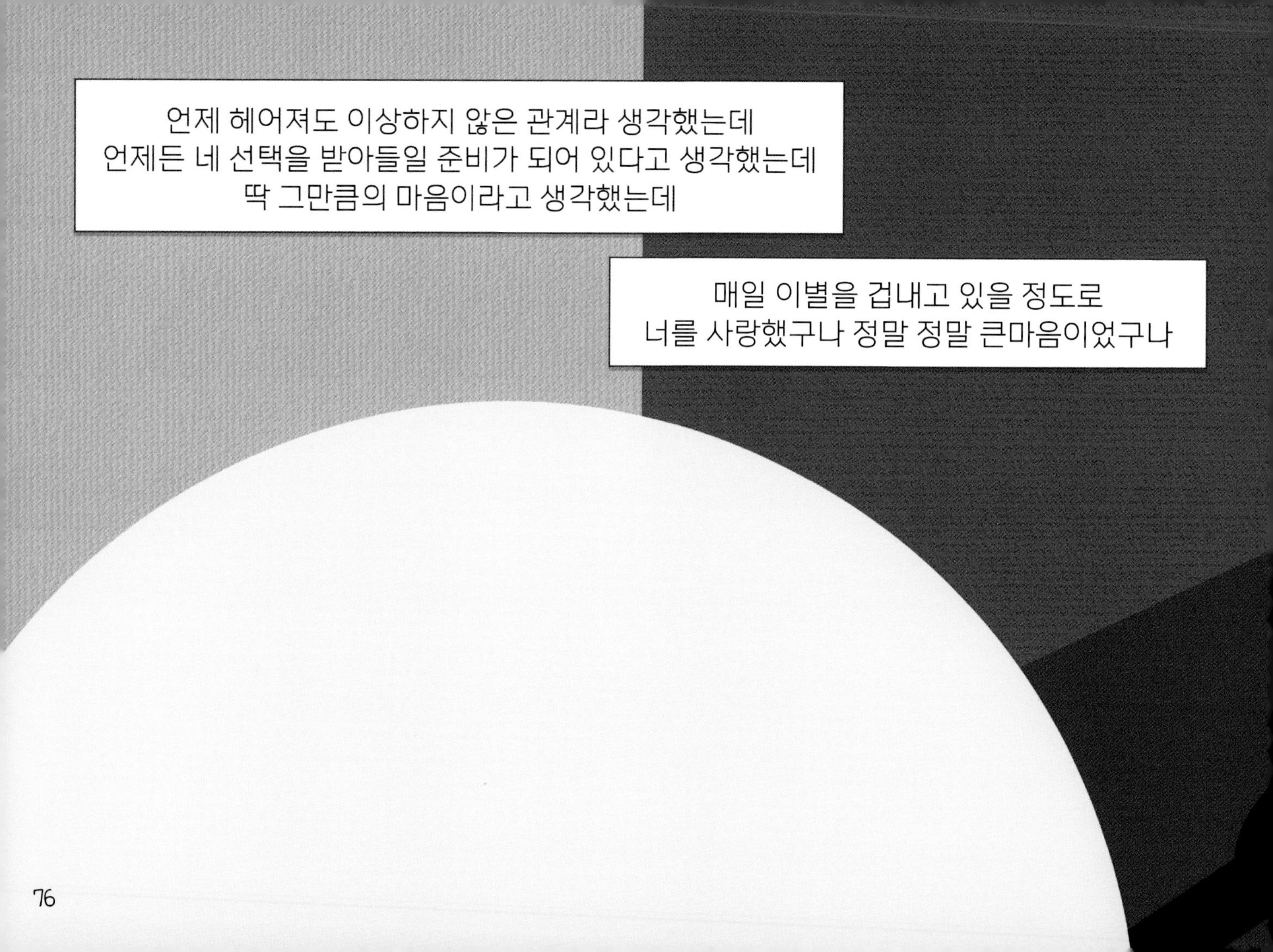

언제 헤어져도 이상하지 않은 관계라 생각했는데
언제든 네 선택을 받아들일 준비가 되어 있다고 생각했는데
딱 그만큼의 마음이라고 생각했는데

매일 이별을 겁내고 있을 정도로
너를 사랑했구나 정말 정말 큰마음이었구나

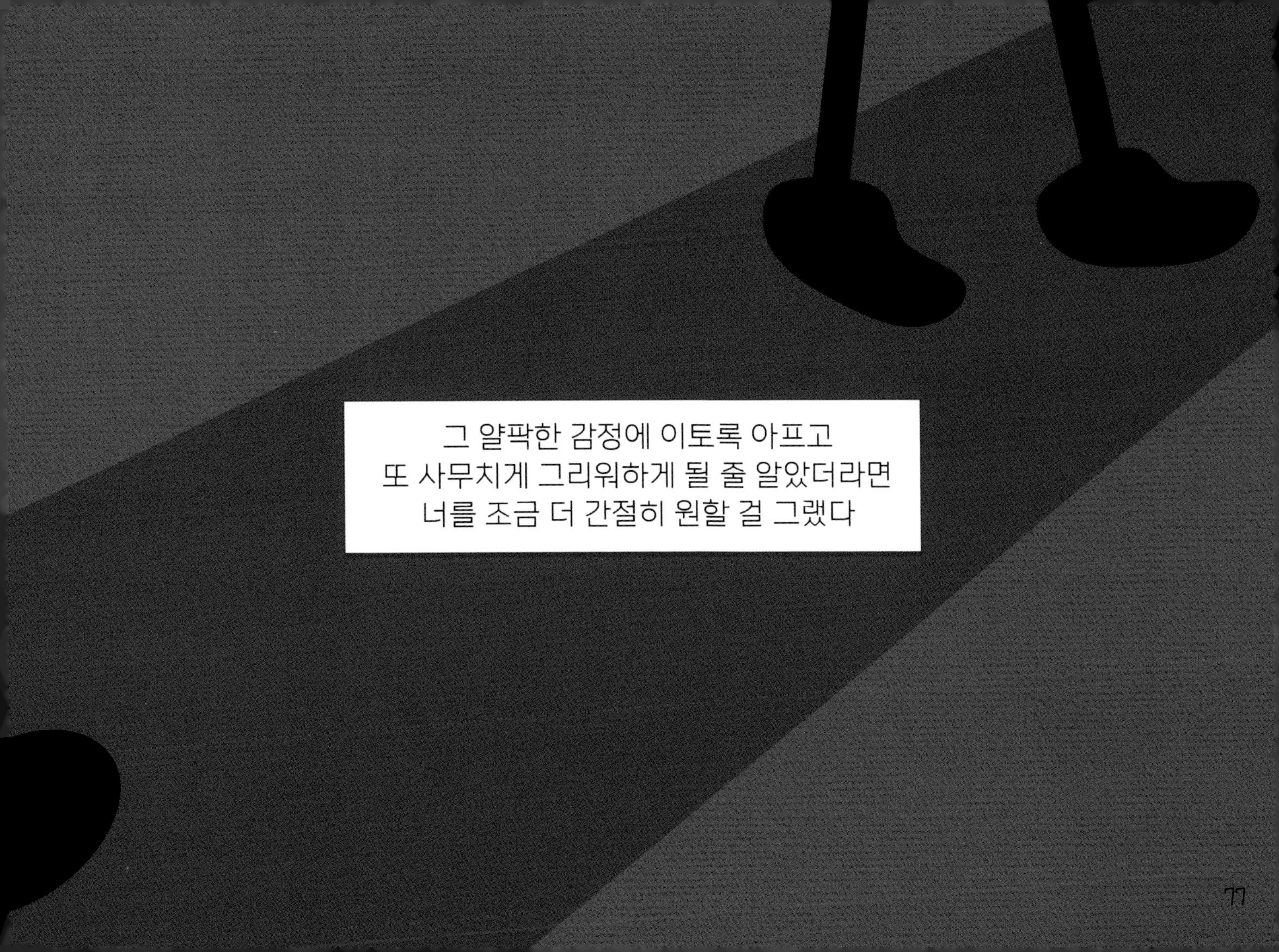

그 얄팍한 감정에 이토록 아프고
또 사무치게 그리워하게 될 줄 알았더라면
너를 조금 더 간절히 원할 걸 그랬다

내 유일한 비밀번호였던
네 생일이 더 이상 기억이 나지 않는다

절대 잊을 수 없을 것 같던 것들이
점차 희미해지기 시작했다

.
.

유독한 시간이다,
전부 시간의 탓으로 돌리자.

Password

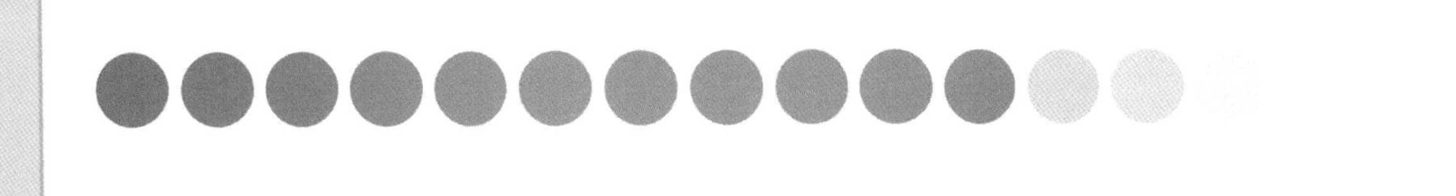

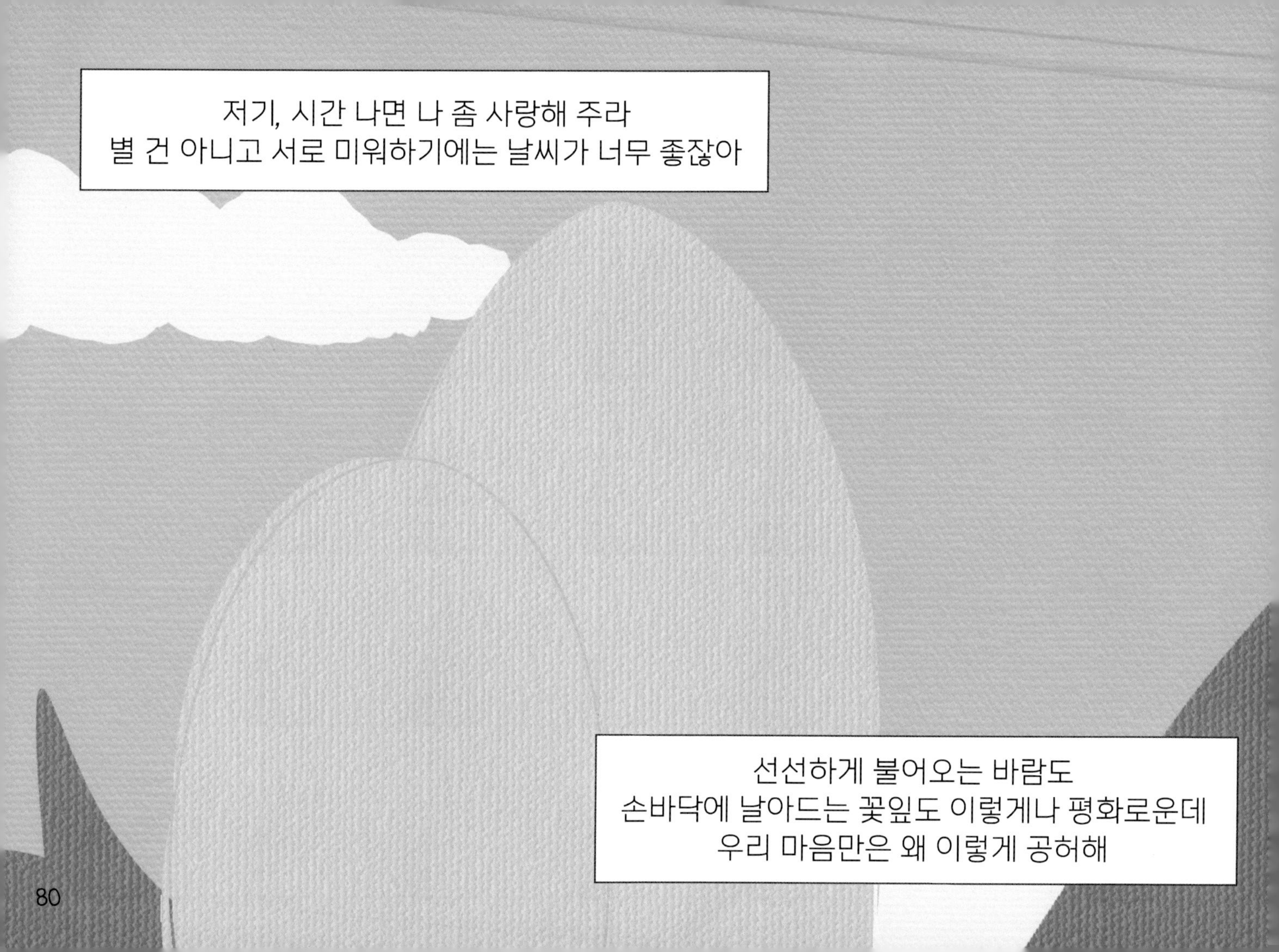

저기, 시간 나면 나 좀 사랑해 주라
별 건 아니고 서로 미워하기에는 날씨가 너무 좋잖아

선선하게 불어오는 바람도
손바닥에 날아드는 꽃잎도 이렇게나 평화로운데
우리 마음만은 왜 이렇게 공허해

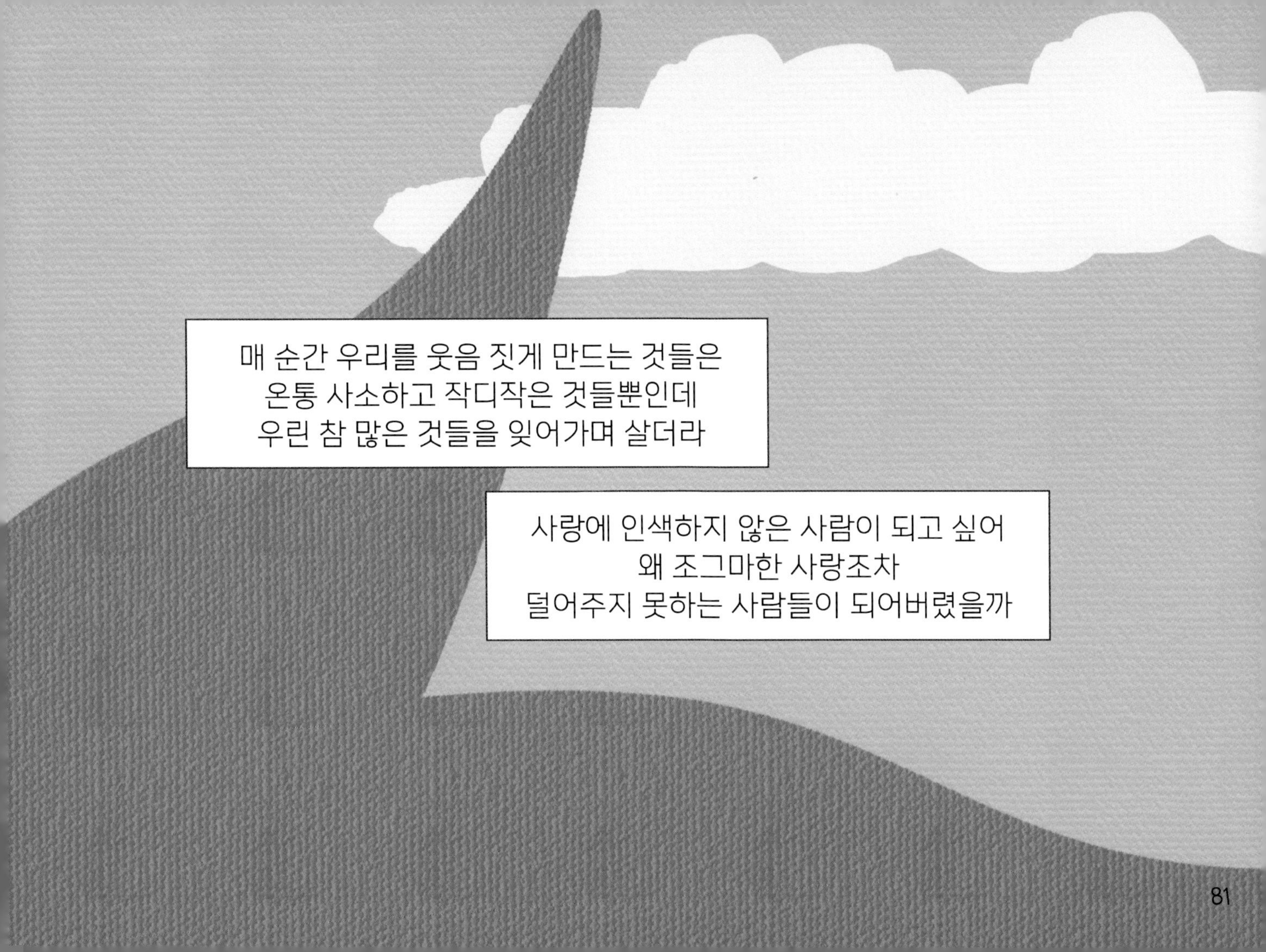

매 순간 우리를 웃음 짓게 만드는 것들은
온통 사소하고 작디작은 것들뿐인데
우린 참 많은 것들을 잊어가며 살더라

사랑에 인색하지 않은 사람이 되고 싶어
왜 조그마한 사랑조차
덜어주지 못하는 사람들이 되어버렸을까

혹여 당신을 잊을까
손바닥에 이름을 적어두어 꼭 쥐었더니
그만 손에 물들어버렸어

내 손바닥에 스며든 파란 잉크처럼
당신도 내게 오래오래
소중한 사람이 되었으면 좋겠어

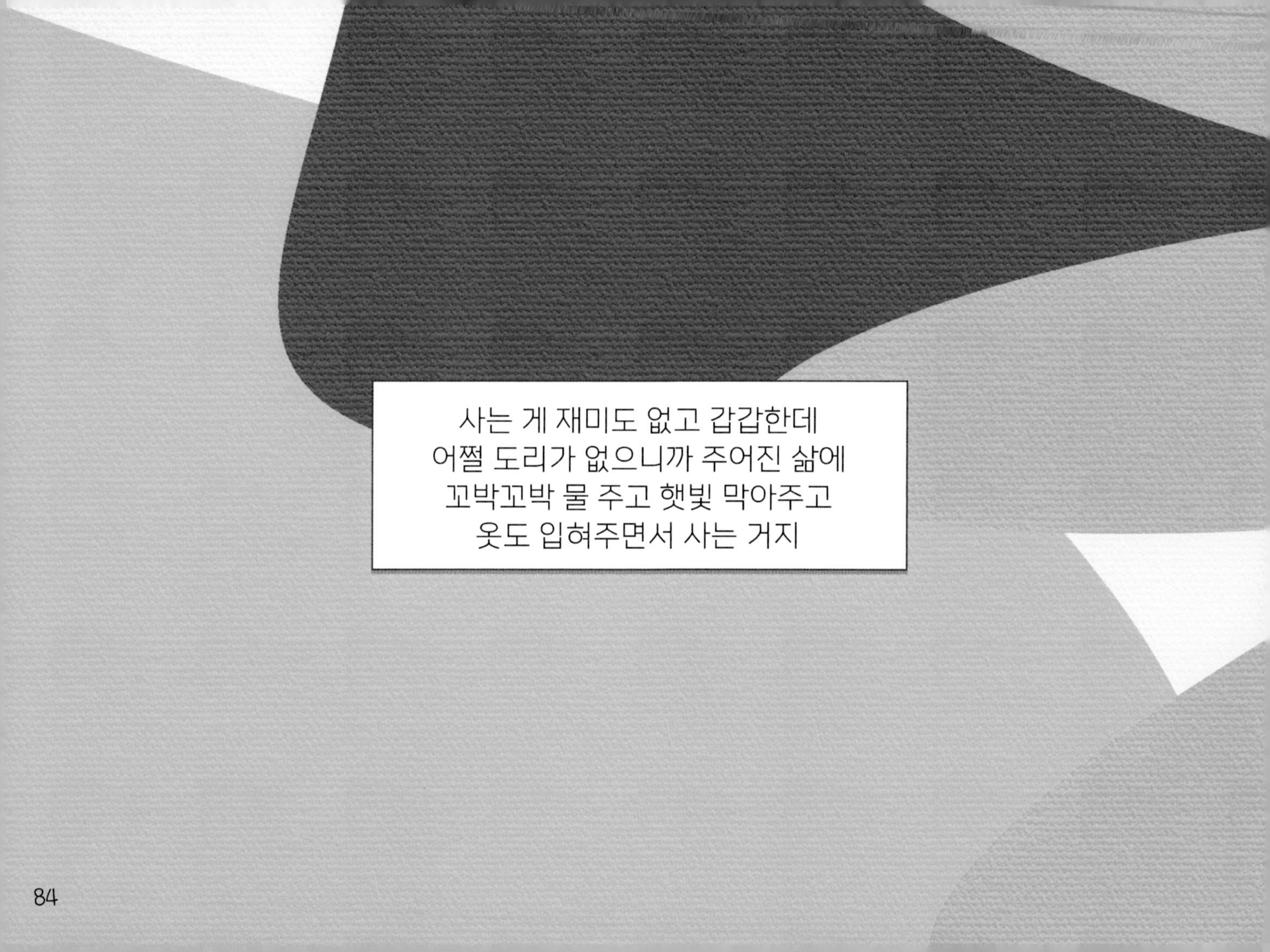

사는 게 재미도 없고 갑갑한데
어쩔 도리가 없으니까 주어진 삶에
꼬박꼬박 물 주고 햇빛 막아주고
옷도 입혀주면서 사는 거지

이왕 살아가는 김에
스스로를 안아도 보고
예뻐도 해보는 거지
그러다 나도 모르게
나를 사랑하게 되는 거지
그렇게 하루하루 살아가는 거지

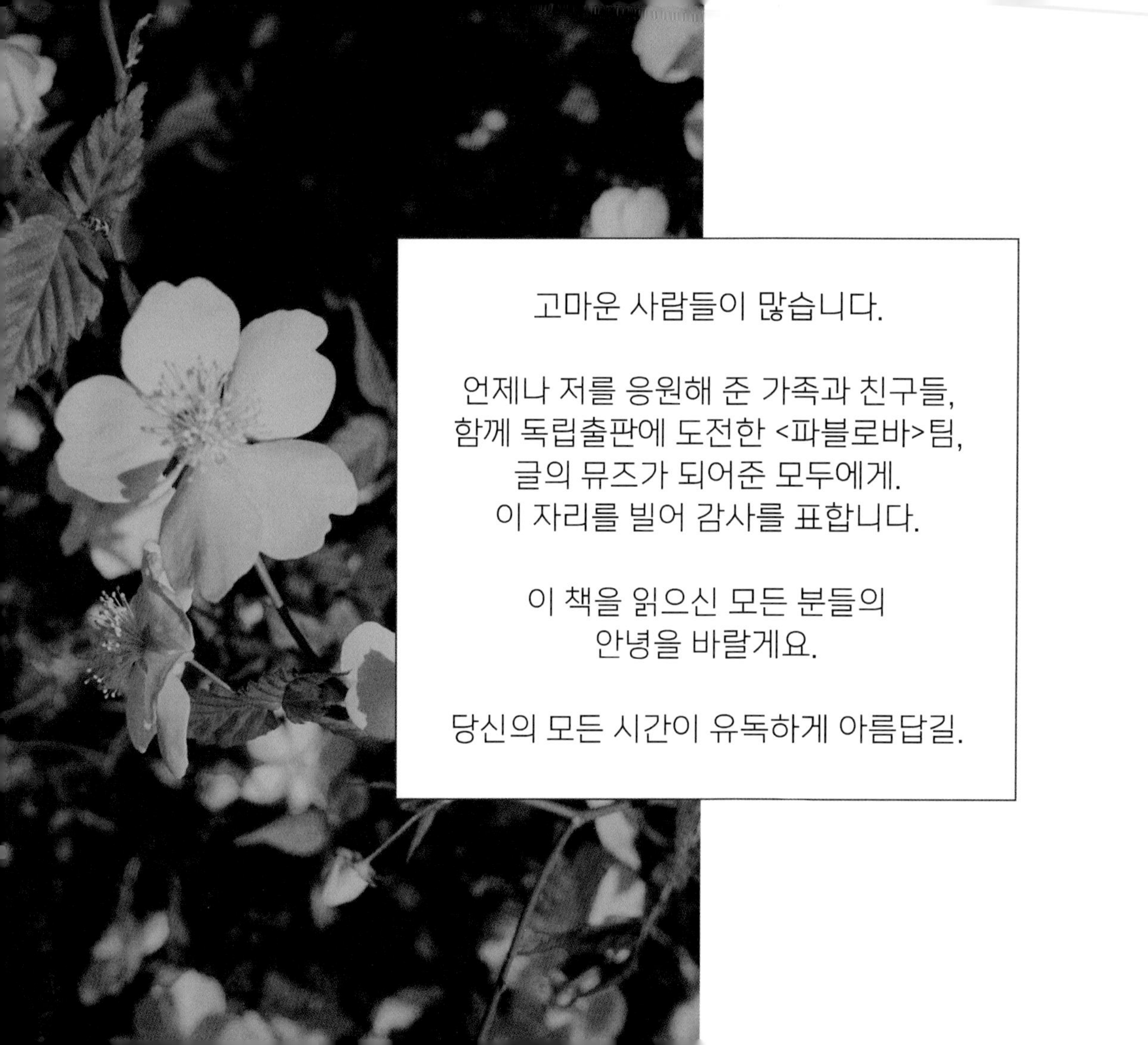

고마운 사람들이 많습니다.

언제나 저를 응원해 준 가족과 친구들,
함께 독립출판에 도전한 <파블로바>팀,
글의 뮤즈가 되어준 모두에게.
이 자리를 빌어 감사를 표합니다.

이 책을 읽으신 모든 분들의
안녕을 바랄게요.

당신의 모든 시간이 유독하게 아름답길.

작가의 말

문득 그런 생각을 합니다. 우리는 정말 많은 것을 잊어버리고 살아갑니다.
그저 철이 없다는 핑계로요. 철이 없는 우리가 느끼기에 사랑은 어쩔 수 없는 것이고,
우리를 무너지게 하는 것이죠. 행복 또한 그래요.

작은 행복을 얻으면 더 큰 행복을 바라보게 되고 - 이런저런 생각들이 뫼비우스의 띠처럼 자꾸 돌고 돌다 보면 어느새 마음속에는 슬픔으로 가득 차더군요. 그래서 때때로 우리는 시간을 탓하기도 합니다. 후회와 그리움, 우리를 멀어지게 하는 것은 모두 시간의 탓이라 말하죠. 시간은 점점 두터워져 높고 무거운 벽이 되곤 합니다. 그러나 사랑이든, 행복이든, 시간이든. 자꾸 탓할 대상을 찾는 것은 그렇게 현명한 방법이 아니라는 걸 이제는 알게 되었습니다. 그래서 저는 오히려 사소한 것들을 사랑하려고 노력합니다.

우울할 땐 좋아하는 노래를 들으며 일기를 쓰는 습관이 있습니다. 후에 보면 일기장이 바다처럼 푸른 감정으로 가득하지만, 쓰고 나면 훨씬 후련해지죠. 일기를 적으며 조금이라도 즐거웠던 순간을 되새깁니다. "~여서 고마웠어", "~여서 좋았어" 무심코 지나친 사소한 일들에도 기분 좋은 수식을 붙이다 보면 내 하루가 마냥 나쁘지만은 않은 하루였구나 싶어요. 행복한 일들을 찾아 나열하다 보면 어느새 훨씬 후련해진 나를 발견하죠. 작디작은 것들을 사랑하며 함께 웃다 보면 언젠가는 진심으로 모든 순간에 행복한 사람이 될 수 있지 않을까 생각해 봅니다.

유독한 시간, 2023.

저자 | 매리
펴낸 곳 | 시간의 벽
출판사 등록 | 2023년 05월 03일

초판 1쇄 발행 | 2023년 07월 07일

이메일 | aelee38@naver.com
인스타그램 | @wall_of_sigan

ISBN | 979-11-983793-0-6